KB143214

해묵은 이야기

해묵은 이야기

강필중 시집

도서출판 동인

해는 왜 매일 뜨는가. 왜 매일 다시 뜨는가. 기억을 남기지 않기 위해서이다. 우리는 해를 기억하지 않는다. '기억'이라는 것은 해가 뜨는 순간 해의 존재에 흡수되어 그 독자성이 사라지는 어떤 것이다. 기억이 존재를 대신하지 않기 때문에 우리는 오늘 뜬 해를 봄으로써만 이것이 이제껏 쭉 존재해온 것임을 안다. 오늘 뜬 해는 해의 존재사의 일부가 아닌, 존재사를 내포하는 전부이자, 해의 존재사보다 먼저 등장하는 것이다. 늘 있는, 있어온 이야기의 존재도 지금 하는, 지금 한 이야기가 없으면 깃들 곳이 없다. 내 안의 '해묵은 이야기'가 그랬으면 좋겠다. 이런 말은 안 나오도록: '어제 뜬 그 해로군.'

▶ **일러두기**
  시 제목과 본문에 붙은 번호는 시집 끝에 첨부된 주(註) 번호임.

제8부 벚꽃구경

제9부 버리려다 만 것들

제10부 월트 휘트먼

제1부

한 편의 시와 주해_{註解}인 시

눈이

여전히

내리고 있다
는 사실만 여전하고

온통

여전하지 않은 나머지가 가득한 자의
언어가 눈의 언어이다

눈이 눈 밖으로 나오는
자유는 한 사람을 대체해도 좋다

무얼 보고 여전해지려하는가

어떤 언어에
얼마나 실망하여
침묵하려하는가
눈이 쌓이고 있다

눈송이의

압력을 견디지 못하는 것이 반드시 있다는
(어느 눈송이가 눈사태를 격발하는가?[1])
가히 수학적인 필연도 필연이려니와
무한히 작아지며 영零의 존재로 수렴하며
눈의 결정結晶에 압도되는 존재도 있으리라

눈과 하나가 된 마음이 눈에서 가장 먼 마음이다
눈은 나와 버렸는데 눈에 다가간다는 것은
눈을 찾아 눈이 없는 곳으로 가는
배리背理의 행위,

자유의 뺨을 후리는 행위이다

눈은 자성自性이 없는
탈자脫自

눈의 비참이 불순한가?[2]
나뭇잎 두엇 남은 가지들이 바람을 타는 소리

자체를

그 소리에 심다니
겨울에 겨울을 박고 눈에 눈을 박은
겨울의 마음이여

정념을 삭제한

무無의 존재보다는
무無에서 자유로운 존재의

순수한
비참으로서도

비유로 차용된 것이 아닌 눈의 언어가 있나니

내파內破

물物 자체가 추문醜聞이다

물物이 아닌
물物의 자체가

물物 자체는 물物에 '자체'를 박아놓은 것이며 물物이 아니다

물物에 무슨 자체가!

그것이
핀이면 뽑아버리고

뇌관일 것 같으면
터뜨려라

무슨 자체 따위가!

겨울교정校庭이 걸어 나왔느니
거기에 무슨 자체 따위가3

제2부

시에 대한 시: 영시에 대한 반응들

타이태닉

학생들과 토마스 하디의 「두 반쪽의 접합」[4]을 읽었습니다
애도의 결여가 문제라는 발표자의 심정에 대해서는
문제의 시가 바로 거기서 시작한다고 말해보았습니다
(인재人災가 거론될 상황이 아니라 다행이었습니다)
　빙하와 선박이라는 '두 반쪽의 접합'이 예정된 운명의
완성이었다는 시인의 심정에 대해서는
'선수를 쳐서 상대를 앞지르는'[5] 기술을 언급하지 못했
습니다
　납득할 수 없는 것을 더 납득할 수 없는 것으로써 무력
화시키는 기술, 충돌의 충격 자체에
'교합의 절정'이라는 충격을 가함으로써 아예 애도의
여지를 남기지 않는 기술 말입니다

뱀

데이비드 허버트 로렌스의 「뱀」을,
"나의 뱀"의
평화로운 긴장을
놓치는 이야기로 읽었습니다

뱀을 놓치면, 뱀에 관한 이야기만 남고
이야기만 남으면, 나도 놓친 겁니다

자기를 놓치고 허둥대는
이 볼품없는 허깨비는 무엇입니까

뱀을 놓치고 나를 놓친 빈자리에
"나의 뱀"만 텅,
울립니다

자기연민6
　－결핍증으로서의

얼어 죽은 작은 새 한 마리
찬찬히 보아하니
생사불문生死不問, 새에게 있으나
인간에게 없는 것이 있어
생사불문生死不問, 새를
떠난 적이 없는
생사生死를 불문不問하게 하는
인간에게 없는 것이 있어
인간에게 있는 것이 없는 것이 아니라
인간에게 없는 살아있던 것이
지금은 죽어**있을** 뿐
견고하게

성聖소네트

　만해 한용운은 「복종」에,
　우리가 보통 '자유'라고 하는 것이 헛된 자유일 수 있
음을 깔아두었습니다

　존 단은 『성聖소네트』 연작의 한 소네트에서 역설逆說을
역설力說했습니다
　'당신이 나를 겁탈하지 않으면 내가 순결할 수 없다'고

(구속拘束이 곧 구속救贖이라는 식)

　구속으로부터의 자유는 그 자체가 구속입니다
　임에 묶이지 않으면

　자유의 광야에서 이미, 임에 묶여있지 않으면
　자유는 광야도 아닙니다

　자유가 시련이 아니므로

　자유로부터 자유로울 길이 없습니다

그녀는 인적 없는 가운데 거居했으니7

  인적이 없는 길들이 그녀의 거처였습니다
  눈에 띄기만 하면 두 눈을 사로잡는 이 존재에게 한 사
람의 눈이 있었으니
  그 눈마저 없었다면 그녀의 존재는 완벽했을 것입니다
  시인도 우리도 그 존재를 몰랐을 것이기 때문에
  이렇게 말해보는 것은 괜한 심술이 아니라 그런 존재
의 그런 거처가
  우리에게 나에게 과연 있겠느냐는
  아찔한 동경 때문입니다

어머니를 잃고

아이는 어른의 아버지
아이는 무지개를 보고 가슴이 뛰는 어른의 아버지
가슴이 뛰는 아이의 씨를 받은 어른은 아이의 자식
어머니는?
무지개 보니 가슴 뛰누나! 내 어머니는?
어느 자궁에서 나와

성인은 어느 젖가슴에 있고
노인은 어느 젖무덤에 있나

어머니를 잃고 워즈워스에게 묻노니

깨어남

룃키의 「깨어남」[8]을 눈으로 들었습니다
'나는 잠으로 깨어난다'는 역설이
더 이상 역설이 아닌 지점에
시의 의미보다 먼저 시가 있겠습니다

그곳에서는 역설이 아닌 것이 이곳에서는 역설인바
잠들지 않으면 그곳에 깨어날 수 없고
미지의 영토에는 이미 가있기 때문에
간다는 말을 할 수 있는 것이지요

다만 그곳에 대한 의식만큼은 이곳의 것이라서
그곳을 이곳에 가져오는 임무를 맡고 의식은
잠들기까지
잠으로의 깨어남을 서서히 가져가면서

그 느낌으로
사유하기 시작하는 젤 겁니다

정보를 얻는 게 아니니까요

키츠의 슬픔

아침장미 한 송이로 네 슬픔 만끽하라[9]

눈앞에 피어난 그대로
사멸을 내장內藏한 아찔한 아름다움[10]

깊이깊이 음미하라

아침장미 한 송이, 눈부신 이 순간
눈부시게 눈물겨운 것,

눈부시게 아름다운 연인의 두 눈
분노로 이글거린들 내 눈에

눈물겹지 않을 것인가

끊임없이 흔들리는 요람으로부터[11]

이 경계와 하나가 되는
격동이 있을 뿐,

밀려드는 파도의 모노톤은
죽음, 죽음, 죽음, 죽음,

아이의 전신세례全身洗禮는
어떤 깊은 사랑이 단

하나의 낱말로 계시되어 다른
모든 말의 모태로 예정되는 의식儀式일 뿐,

숨 막힐 듯 황홀한 이 파도 밖
영원의 사막 따윈 없어

'죽음'으로 번역된
파동波動만이,

가라, 장미야[12]

가라, 장미야

내 메시지 전하고는, 죽어라
망설임 없이

네 싱싱한 생명이 여인의
거울이 된 순간

즉사卽死하여

운명 하나 환히 비추어라

놀란 아름다움

생사生死의
간발間髮을 놓칠세라

내 눈앞에 있으리니

장미가족[13]

장미와 그대

단 둘이 직계直系
혈족血族이다

쌍생아일 수도 있다

둘 중

장미가 사라지면
꽃
이름만 바뀌는 것

소네트 35
─믿음에 관하여

세상만물에 다 흠 있으니 저라고 예욀까요
제가 당신 뒷배 보니 당신 제게 죄 지어도
당신은 무죄라 죄는 제가 지은 셈이지요
셰익스피언 절보고 공범이라고도 하네요
하지만 셈은 셈 아닌가요? 정확해야죠
당신의 죄는 단독범인 저의 소행이니
당신을 처벌할 근거는 어디에도 없네요
조금도 두려워하거나 괴로워하지 마시고
지을 죄는 다 지어보아요 (저 믿죠?)

하늘의 융단[14]

가난한 자 꿈도 허약합니다
땅위에 펼치지 못해 하늘에 펼쳤지만
더더욱 꿈일 뿐이라
아예 그대 발밑에 펼쳤습니다
천사의 발길이 찍힌
하늘의 융단이 땅위에 펼쳐지도록
하여 제가 드리지 못한 것을
당신 자신이 이루시도록

What Else?

술이 입으로 흘러들고
사랑이 눈으로 흘러드니
이 이상 무엇이 있을까
이 이상 무엇이 있어
무엇이 널 바라보는 날
한숨짓게 하는지[15]

인어[16]

그 애가 너무 좋은 게 탈이었지
너무 좋아서 또 한 번 깜빡한 거야
나도 어쩔 수 없어 또 그럴 거야
맞아 걔가 사람이라서 익사한 거지
내 탓은 아니야 그 애 탓도 아니지
조물주의 탓도 누구의 탓도 아니야

미친 제인[17]

미친 제인이 주교와 불통不通을 하는데
주교가 일필휘지, 선線 하나 긋자
미친 제인이 다른
선線 하나 굵게 긋고는 죽 찢어
두 발 떠억 벌려 우뚝 서다

(Shame on me?)

눈꽃[18]

스무 살 먹은 놈이 제 수명을 일흔 살로 잡았나보다
벚꽃 바라볼 봄이 쉰 번밖에 안 남았다 조바심인데
그 조바심 끝에 눈이 벚꽃처럼 핀 것까지 보겠단다
어린놈의 조바심이 시가 된 것인데
아이들이 가져오는 우리말 번역을 보면 왜 꼭 '눈 같은
꽃'인지,
  오늘 수업에서 난 또 한 번 '꽃 같은 눈'을 이야기했는데
  아이들에게는 그 조바심 자체가 문제여서
  이 시의 선택이 매우 적절했던 것이다

비밀에게[19]
—물음

네가 네게는 비밀이 아니라는 것인지
네게도 비밀이라는 걸 안다는 것인지

불과 얼음[20]

시인이 안 한 말 하나가 '차가운 불'입니다
얼음 자체가 불인 불 말입니다
얼음이 녹지 않는 것은 불이 꺼지지 않기 때문입니다
증오의 불길에 닿으면 온몸이 얼어버립니다
불이 꺼지지 않기 때문입니다
불이 꺼져야 얼음이 녹는다는 간단한 이치가
'fire as ice'가, 'fire and ice'에 대한
보론補論입니다 증오도
열정입니다

금빛 시간[21]

금빛 터져 나오는 시간
잎이 어디 잎일 뿐이랴
금빛 시간 지나면 잎이
어디 잎일 뿐이었으랴
에덴의 잎이 사라지면
회복의 일정 시작되고
금빛은 잎의 복음이라
금빛 터져 나오는 시간
잎이 어디 잎일 뿐이랴
네가 어디 너일 뿐이랴

거미 한 마리[22]

곶에서 대양 향하듯
허공에 임한

미물微物이

허공처럼
없는 듯이 있는

세사細絲의 집 짓다

작은 몸 하나 줄이고 줄이듯 몸에서 실을 뽑아
허공과 가장 가까웠을 때 가공可恐할
근사近似한 집을 짓다

없는 듯이 있기 위해
없는 듯이 있는 집을
짓는 것일 뿐

닻은 아예 없는 듯
엄존儼存하여

모험이 근본적으로는 안전한 것임을,

어떤 영성靈性처럼 일깨우다

제3부

해묵은 이야기: 잡록雜錄

우산

비바람 맞아 우산을 척, 접는!

바람이 문제라는 것

이 분별의 손놀림이
순간의 의문을 잠재우고 향후

비바람 맞는 자
우산이 있는지
보게 만드는 것

혼자 거는 시비

앞질러 길 건너는 남자가 흘린 말: 하루하루가 똑같네
(나를 앞지르지 않았으면 바로 그만큼 달랐을까?)
가청可聽거리 밖의 내 생각: 어떤 내용이 있어 똑같을까
내용이 있으면 그 내용 속의 어떤 내용이 똑같을까
내용이 없거나 내용의 내용이 없다면?
똑같은 것이 있기나 한지

처절하게 똑같은 어떤 것이 있는지

바틀비23

사사건건 그렇게 안 하고 싶다니 왜 그런대요?
왜 그러는지는 왜 말 않는데요?

이해할 수 없다는 것이지 용납할 수 없다는 건 아니지?
그렇다면 이해할 수 없어야할 필요가 있지

도저히 이해할 수 없으면 더 좋고
한 세상쯤 외면도 안 해보고 어떻게 이해할 수 있을지

그에게는 이 모든 게 너무 간명하지 않을까?
하고 싶은 것이 안 하고 싶다는 것일 뿐

한 세상 너무 하나같아서
나의 대응도 하나같다고

달리

달리 무어라 말하겠는가 너의 그림에 대하여서나
나의
자리에 대하여서나 달리
무어라 말하겠는가, 혼신의 힘을 쏟은
성교의 증좌인가, 탁자 밑으로 축
늘어진 시계는
노력도 결실도 그 어느 하나 남기지 않은

깨끗한 현실이니 그것 말고 달리
무엇을 그릴 수 있겠는가
달리 그릴 수 없는 것을 그린다는 것 말고
달리 무슨 말을 하겠는가
여기
무슨 사조思潮나 정의定義가 있어
그에 따라 달리 말을 하겠는가

개 껌

여자가 늦은 데는 늦었다는 사실 말고 어떤 이유도 없다
는 단언斷言을
어떤 귀신이 던져줬는지

약속장소에서 이걸 처음 씹은 남자가 이젠
시간을 안 지킨 여자만으로는
만족할 수 없는

변화를 겪어 여자가 그걸 알고는
점점 더 늦게 나오다가
나오지 못했다는

해묵은 이야기

주차장에서

피안에 즐비櫛比한 차들이 빗살 하나 빼놓고는
맞춰들라 하니

일상에서
일상에 이르지 못하고

주행 시 잠시 악귀였다가 지금 바보인데
그 둘은 사람만이 될 수 있는 것

그러니 그럴수록 사람이 아닌 것은 더욱 아닌데
그렇기 때문에
사람에서 사람으로 건너가는 것이 문제가 되고

사람에서
사람에 이르지 못하고

남성의 난관難關
―홍상수의 극장전

반복을 삭제한 허용을 아는가,
(재미 볼 거 보았으니, 이젠 그만!24)

형이하학적 동기에 꿰인 남성
에 대한

어떤 허용
이 낳은

정확하게 한번뿐인 완성을
(네겐 처음부터 그게 '완성'이었으니)

는
—관념 (혹은, 중독)

돌을 씹는 것이 돌을 씹는 것이다
돌을 씹는 것 자체가

이미 씹은 것은 괜찮다
씹는 것으로 비화하지만 않으면

그러나 무슨 맛이냐
독을 마신 것이나 너를 안 것이나

아는 것으로써 영원회귀
하지 않으면

버거킹

버거 중 킹이라는 소린가
버거가 킹을 먹는 소린데

킹은 버거가 먹었으니 난
딱 버거 하나면 좋겠는데

버거가 킹을 도로 내놓고
같이 먹어야 한다고 하데

오아시스 가구家具
─김해 내동의 어느 길가에서

가도 가도
가구가 없다

가구를
기다리느니[25]

가기로 했지
가도 가도

사막인
시간이 되어[26]

사막여우가
가고 있다

백백白白
－백지상태(tabula rasa)?

흰 종이에 꽂힌 흰 작살을 찾아
작살을 뽑고
상처를 드러낸 문자는
찾아낸 흰 작살의 존재에 매료되어
(자기 존재의 근거일 테니)
열상裂傷을 낸 검은 작살로 오인되는 것에는 관심이 없다
(흑백이 자명할 테니)

흰 작살로 도배된 흰 종이가 있다

안개 낀 갈대숲에서
-풍경의 효용

인생의 길 생각느니 인생이 어디 길이냐

안개 낀 갈대숲에서

있는 길이 안 보이기 이전에

보인다고 있는 것이냐

머리에 찍히고 가슴이 울림을 가미한 누군가의 숲길이

종내에는 인생을 아직 지지 않은

이 가을의 의식쯤으로 남겨놓나니

머리에 속고 가슴에 속은 자여

마침표 하나
―마음에 맞는 강변強辯

눈앞의 서가와 책들이 낯설어 보이고
책 하나하나가 낯설어 보이고
다시 들여다보는 곳
낯설어 보이는,

말의 사실성의 점강법漸降法에서

점층법漸層法으로.

기억 따위가 새롭다는 말은 낄 곳이 아니다
그것은 이미 누추하다

여기 앉은 자의 것 아니므로

올가을 유달리 단풍과
낙엽 풍성한데,
낙엽에는 아직 기억이랄까 끈기가 있어
떨어지는 것들이 아직
풍성한 제 가치를
실현하지 못하고 누추하게

형태를 고집하면서
밝혀보면 알거니와 스스로를
부담스러워하고 있다

그 부담 여기 앉은 자의 것 아니므로

이제 처음으로 호흡을 한번 생각해보는바
여기 앉은 자에게는 그것이 들숨도 날숨도 아니므로

소급하건대 거슬러 올라가는 지점마다 밟히기도 전에
바스러지고
소요逍遙를 완료할 것도 없이 이제, 문구文句부터 낯설어
보이는 헐벗은 현장에서
떨어진 것으로도 모자라는 낙엽들을 되붙이듯
되살릴 것은 하나도 없어

흔하디흔한

흔한 모터바이크소리가 밤의 흔한 정적을
흔히 그러듯 건드리다 사라지고는
흔한 여운마저 없는 것이 조금 덜 흔한가싶다가
흔하지 않다는 것만큼 또 흔한 게 있을까싶고
흔하지 않아야할 것만큼 흔해진 게 또 있을까ㅡ
'쌍용자동차정리해고소송에 대한 대법大法의 원고패소판결'
흔하디흔한 말을 입에 단내가 나게 하고 또 하고
흔하디흔한 말을 목에 쉰내가 나도록 해대도
흔하디흔한 말로 치부되는 말을 낯설게 하려고
크레인꼭대기장기고공농성을 감행해도 수십의 생명이
이 세상 뜨는 것 말고는 이 나라 뜨는 방법이 없었어도
공무원연금대폭삭감에 대한 공무원노조의 목소리
(그나마 세상이 좋아져 티브이에도 나온 바대로)
논의를 통해 더 낼 것은 더 내고 줄일 것은 줄이겠다는
이들에게는 흔하디흔한 상식의 말이 저들에 이르면
도리어 무리無理한 흔하지 않은 말로 환골탈태하는
흔하지 않아야할 이 흔한 상황 속에서,
요란할 수밖에 없는 약자들과, 목소리 깔아도
대체로 매사형통인 강자들 중, 후자의 기계성이랄까
'체계성'이랄까, '고통'을 틈틈이 입에 올리지만
개인의 고뇌는 일찌감치 사상된, '소신'을 입에 올리지만

머리안팎의 지시에 따라 대량으로 나랏일을 획일劃[27]
처리하는
(고통을 가히 전가하는) 흔하디흔한
이 끔찍하게 진부한[28] 세상에서,

오차 없는 애환

기계의 애환에 오차가 없다
애환이 오차 없이 작동하고
고장 난 기계는 인정人情의 죽은 도구일 뿐
애도 환도 아니다 돌고 돌면서
기계는 소리를 내거나 내지 않으면서
오차 없이 슬프고 오차 없이 기쁘다
작동에서 분리된 감상의 여지는 없이
슬픔에 오차가 없고 기쁨에 오차가 없다
울거나 웃는 별개의 행위는 반反기계적이다
그러니 울거나 웃을 여유 따위가 없는 게 아니다
빈틈이 없는 식으로만 슬프거나 기쁜
슬프고도 기쁜 작동하는
애환이 고장 나지 않았다는 것만 기억하자

칩거하는 아들에게

사람은 오로지 혼자 있을 때
자신을 전혀 돌아보지 못하기도 한다는 것을

돌아본다는 게 뭔지 아예 모른다는 것을

자신을 돌아보게 만드는 게 뭔지 전혀 모른다는 것을

말해주기 위해 네가 나를 돌아보게 할 수는 있겠지
큰 가정假定 해보노니 내가 네 자신의 잊힌 부분일 때

그 돌아봄만이 약이 되거나 독이 되겠지

내가 약의 독성이나 독의 약성藥性을 생각하는 것은 그 자체가
어떤 거리감의 표현이겠지만 어깨너머로라도
돌아볼 내가 없던 네게는 그 흔한

거리감조차 없을 거야 몸을 돌려 바라보는 곳에
무無가 있다 보면 사방이 비게 되지

창세創世의 시점始點 (가상세계 말이야)
너는 창세 이전의 존재인데

뜻 모를 소리로 네가 돌아보게 하는 것 말고
더욱 뜻 모를 말은 내가 어찌 전하겠느냐

호우에게

음악이

너를 대신했을 때
너는 거기 없었지

대신代身의 순간 너는 없었던 거야 음악이

몸소

없는 너를 대신할 때
너는 몸을 얻었지 너는
원래 없었던 거야 그편이 나아

몸 없는 정신이 있었겠어?
음악이 너를 대신할 때

너는

정신을 얻었지 정신은
원래 없었던 거야 그편이 나아

네가 온전한 너를 얻는 순간 음악이 너를 대신한 거야
그편이 나아

숲과 바람과 구름과

폭우 지나고 작은 언덕 숲이
바람 따라 크게 떠나는 제 기세에 근본을 잊고
구름하늘이 너무 개운해 본래 없는 하늘에 임자가 있
을 리理 만무하고
본성이라는 게 달리 있었다면 그냥 실성이라 해두자며
바람이
틈을 보인 구름들 산양몰이 하는 능선을 마지막으로
위없는 고음 아래 존재조차 없는[29]

바닷가에서
－해海의 설說

세상에
까뒤집어서 속을 볼 수 있는 사물이
하나도 없다는 것은 (혹시 아무도, 나만 모르는 그런 물건이?)
축복이다 ('홍복'洪福이 정확할 수도 있겠다)

(까보면 안다는 것은 카드의 패처럼 이면이 명백히 존재하는 경우
에나 쓰는 말이고 다른 물건이나 무슨 성분이 안에 있는 경우
에나 쓰는 말, 문제는 **겉과 속이 다르지 않다**는 의미의
단일성을 지닌 단일한 물건)

(꼭꼭 숨었으나 종내에는 까발릴 수 있는 '속'이 있다면, 어렵지만
그 어렵다는 것만큼 쉬운 것도 없는데, 언제 누가 까발렸는지는
모르지만
'속'이 속에 있지 않고 겉에 있다면? '속'이 겉에 있다
이 '겉'은 무엇인가)

속이 따로 있는 사물은 없다
속이 따로 있으면 가령 바다가 겉이면 의미가 속,
바다는 아무리 깊이 들어가도 바다, 즉 겉이다
바다는 속속들이 의미와 결별하고 가장 깊은 곳에 이
르기까지
오직 자신이고자 하는 오래된 현재의 열망으로

영원永遠을 스스로에 투사投射한다

그것이
밀려오지 않느냐

바다를 헤집지 않고

바다 앞에서
'바다'를 내버린다
실시!

선행跛行[30]

능선稜線이 옅어
턱을 조금 빼고 바라보는
밤하늘, 흰 구름
잠깐 돌렸던 눈에 보이지 않아
구름도 유령이 있나
사라지는 가장자리가 창틀 끝에 보일 때
저 신속한 선족跣足에 사족蛇足처럼 신을 신겨[31]
저것이 맹목이다 아니다 할 것인지
'자명한 것은 추가로 드러낼 수 없다'[32]
는 사실만 합당하다는 것을 내가
나를 가지고서는 감당하지도
이해하지도 못하리니

문門

그러니까 이런 것이다
귓전에서 식탁에 풀어놓은 막 비운
종이케이스를 경유했으나
그 다음은 알 수 없고 알 것도 없던
비행飛行의 동선動線 하나,
눈부신 전등불빛 아래 잠행했을 수도 있는
(의미 없는 추정들 중에서는 '파리'가 대표성이 있지만)
그 정체는 알 수 없고 알 것도 없던
선線의 느낌 하나가 매우→↓
점잖다는 것 이런 것이다
(다음날, 안 봐도 '파리'이지 싶은 동선으로 확인했듯이)
늘 그랬지만 몰랐다는 것

'들어오면 없는 문'으로만 들어올 수 있다

새소리

들어본 소리
들려야만 들어본 소리인

들어보았다는 것은
듣는 이 순간에만 존재하는

사이비似而非 기억
전에 들었던 것을 **따로** 설정할 수 없는[33]

들어본 소리
현존의 한 방식이 기억인

곱창을 굽다

기름이라는 분석적
우려를 뒤로하고 즐긴 소 곱창의 꼼꼼한 곱처럼
가득 남은 막잔 앞의 예법 같은
긴 들숨처럼
필요가 아니었으므로 욕구가 없던
충족의 시간처럼

충족되어야할 것이 먼저 있을 시간도 없이
충족만 있어, "욕구가 있었으니
충족이 있었겠지"가 고작인
충족의 논리적 전제로만 존재하는 욕구가
충족의 실재 속 비실재인
충족의 시간처럼

나 홀로 집에

내게 남겨진 김밥 2인분을 거의 다 먹다
같이 먹을 수 없게 된 사람 때문이라 하면
상상이야 빤하겠지만 내용은 있을 것인데
유감스럽게도 그 사람 집사람이라
말할 것도 없이 멀쩡히 살아
바깥의 저녁약속 지키고 있는 것인데
나는 그편이 좋다는 것인데
그 정도에 무슨 구심력이 있어
원심력인들 있을 것인가 싶은 것인데
고만고만한 등거리들의 원주圓周가 요즘
나의 것이라는 것은 아니고
나는 조금 전까지
동작 없이
졸고 있었다는 것인데

프랑스 중위의 여자
―the bittersweet name

프랑스 중위의 여자로 표기된 순간
프랑스 중위의 여자가 아니라는 사실이 내심內心 표기된
프랑스 중위의 여자(가 아닌 여자)가
프랑스 중위의 여자라는 표기를 통해서만
프랑스 중위의 여자가 아니라는 정체성을 얻기 때문에
프랑스 중위의 여자이지 않고서는 도저히
프랑스 중위의 여자가 아닐 방법이 없기 때문에
프랑스 중위의 여자임을 감수甘受하는 것으로써
프랑스 중위의 여자라는 표기를 정확한 실사實辭로 만들어
프랑스 중위의 여자로서 마침내
프랑스 중위의 여자에 이르도록 남자를 이끌어
프랑스 중위의 여자의 남자로 만들다

두 개의 현실

의자에 묶여 누군가를 올려다보는 상황에서
내 이름에 '씨'자도 안 붙고 반말 듣는다 해서
그것이 문제일까 존대하는 말을 들으면
도리어 섬뜩하기만 할 것인데,

산업보건센터 접수대 남자직원이
미리 돈을 내고 독감예방접종 받으러 온 우리
이름에 '씨'자도 안 붙이고 한두 마디 반말한 것에
내심 분개하게 되더라는 것

분명한 것은 그것이 레벨 1이라는 것,
그만한 일에 꼭 분개하게 되어 있는
그래서 통과하지도 건너뛰지도 못하는
상위레벨을 먼저 겪기 전에는

유일한 현실

꿈에서 깨어나지 않으면 그 꿈이 유일한 현실인 경우
가 많습니다
다른 현실이 없다는 말입니다 나를 잃고 회복 못한 아
내의 꿈은
스스로의 현실성과 유일성을 견지하려는 관성을 지녔기에
황망함이 가시지 않은 아내로 하여금 나에게
나의 없음을 토로하게끔 합니다

제4부

코끼리 두 편과 자연 네 편

코끼리를 쏘다[34]

블랙코미디 총격의 순간
천년의 노쇠 덮어쓴
사력을 다한 느린 동작이
꺾인 무릎 일으키는
존재론적 사태의
내재인內在因[35]

코끼리를 보다

가장 큰 지혜가 본능이다
양극이 만나는 이야기가 아니라
양극이 없다는 이야기

쪼갤 수 있는 구간이 없고
단위로서의 한걸음이 없다
최소단위가 없고

한걸음씩—
원대한 목표 따위는 없다
유목민이 따라가는 코끼리무리의 이동경로는

이를테면 후각에 있다
물 냄새가 없는 지도地圖의 지혜는
생성된 적이 없어

먼 곳의 존재와 냄새로 교류하며
도중에 죽어도 교류 속에서 죽고
죽음은 미달未達이 아니다

죽은 코끼리의 냄새를 맡는 의식儀式으로
후각의 지혜가 예리해지는
무리의 행보는

눈에 보이는 완연한 미지
코끼리의 상상된 존재가
먼 냄새를 맡는

체험의 실재만이
고스란히 넘겨질 뿐
관상觀象36의 어떤 지식도 생성되지 않아

생존

동물의 비인간은
먹고사는 게 전부여도
원래 그 너머가 없고
그것이 우주여서
그걸 선결하고 할
다른 일이 따로 없다
생존이 곧 존재라
존재의 가치를 따로
구할 일이 없고
온몸으로 하는 일일 뿐
생존이 비루해지는
상황이 없다
생존이 어려워
죽는 일은 허다해도

평등

자연의 종種은 전부
다르면서 평등하다
비교가 없고 등가等價가 없다
(평등은 등가가 아니다)
어떤 것도 같지 않다
다르기 때문에
완전히 평등하다
같은 것이 없어서
같아야 할 것이 없고
더한 것도 덜한 것도 없다
사람도 하나하나가
저마다의 종種이기를!
사회적 불평등 탓에
사회적 평등 탓에
현실 탓에 이상 탓에
저마다 종種임을 잊은
한 사람 한 사람이
다른 사람과 더불어
항상 홀로 있기를!
그리하여 인성人性도
거기서 나오기를!

난청

저 새를 보라
들어보라 저
단조單調가 원칙이고
현실이다
저것은 원칙이
현실이다
단조單調가 잊힌
분열 속에서
원칙과 현실이
대립하고
교묘한 상투常套가
기생하니
저
단조單調
좀처럼
들리지 않아
들리잖아
들리잖아

선사蟬師37

스스로를 쓸어내는 시비일성是非一聲의 한 소리

('시'是가 확고하면 곧 '비'非요, 허약하면 그저 '시'是일 뿐)

제5부

인간, 숙제

인간, 숙제 1

인간은 인간이기 때문에 '인간'을 벗기도 한다
그저 '인간'이라는 것에 포박되지 않는다
'인간'일 뿐인 인간이 인간에 미달하는
함량미달인, 실존의 상황에서만
(자기)초월이 싹트기 시작하느니,
인간이 순수하게 인간일 때
'인간'은 이물異物이거나
탈에 불과하지 않느냐

인간, 숙제 2

스스로를 '인간'으로 분류하면서 인간은
'인간'을 채울 내용을 비물질적인 것에서 찾기 시작한다
육신과 구분되는 정신, 영혼 등이 그것인데,
그것은 분류의 체계에서 하나의 자리만 차지할 뿐,
인간의 인간됨을 그 존재 자체에서 구한 것이 아니다
인간자신의 존재에 주목하지 않고
'인간'에 집착할수록 '존재'는 잊힌다
인간으로(만) 드러나는 존재의 드러남이 망각되고
'인간'만 남기 때문이다. 인간의 인간됨의
진정한 의미는 '인간'이라는 관념을 벗은 곳에 있다

인간, 숙제 3

지금 이곳에서 성취된 존재의식에는 오직 그 의식만이 존재한다

지금 이곳 이후를 생각하는 것은 지금과 이후의 공통 부분을 설정함으로써

지금 이곳에서 드러나는 존재에서 이탈하는 것이다 공통되는 것은 '부분'일 뿐이며

지금 이곳에서 온전하게 드러나는 존재에 미달하는 동시에

지금 이곳 이후에 온전히 드러날 존재에도 미달하는 것이다

지금 이곳의 바깥에서 우리가 구하는 모든 존재는 미망이며

지금 이곳의 존재에 대한 의식마저 미망으로 만든다

지금 이곳 이후에 대한 그 어떤 확정적인 생각도 허망한 것이다

지금 이곳에 대해서인들 확정적인 어떤 전제를 달 것인가

지금 이곳의 존재의식이 분명하여 어떤 전제도 필요 없으니

지금 이곳의 존재의식에 불안이 작동하지 않으므로

지금 이곳의 존재의식에서 불안의 주체가 파생하지 않으므로

인간, 숙제 4

"We have positively appeared."
　　　　　　　　　　　— Walt Whitman

존재는 그렇게 드러남일 뿐,
인간의 존재는 인간으로 드러남일 뿐
인간에 대한 어떤 규정도 허상이다
우리는 존재로부터 '인간'을 추출할 수 없다
우리는 실체를 잡기 위해 추출하지만
추출하는 순간 '인간'은 허상이 된다
삶이 허상의 몫이 아닐진대
허상의 죽음을 죽음이라 할 것인가
엄연히 존재하는 것의 실체를
포착할 수 없다는 것은
존재의 축복이다 시인의 말대로,
무엇을 따로 바라며 따로 알 것인가
이 하나 알기도 벅찬데!
풀잎 하나가 내 혀가 된 것만으로,
몸으로 드러난 내 영혼 하나로
어떤 잡념의 여력도 없는데

인간, 숙제 5

흐린 날의 흐림을
흐리는
흐린 유리창의
흐림을

흐리지 않는,

흐리지 않은 그 무엇이
간간間間

새소리와

이목耳目을 이루는,

언제든 구비口鼻까지 구비할,

신체는
이 순간에도,

어떤 생각들로 유식有識을 면하지 못해
흐려지려 하는지

인간, 숙제 6

이야깃거리가 이야길 망치는 걸 본 적이 있는가
늘 본다 망치는 정도가 아닌 것을
늘 그런 것을 정치인이 이야깃거리면 정치가 이야깃거리고
'종편' 등의 언론은 이야깃거리로 충만한 환장이고
정치가 이야깃거리면 나라가, 나라꼴이 이야깃거리고
이야깃거리가
제 몸에서 이야기를 쉼 없이 뽑아내 제 집을 만들어 제
몸을 불린다
크게 보면 '인간'도 이야깃거리였으니,
이야깃거릴 단칼에 베어버린 어떤 시퍼런 이야기가
있어, 이야깃거리로서는 어떤 인간도 살아남지 않은
정토浄土를 본 적이 있는가

어떤 이야기든 이야깃거리로 만들어 어떤 경우에도
나는 심각하지 않은 이 더러운 땅에서

제6부

세월호 이야기

세월호 전복

낙화도 없이 비바람 풍우 산화도 없이
멀쩡한 한곳에 활짝 핀 그대로
아예 없었던 것처럼 사라진
이 전복에

나라가 뒤집히고 곳곳이 본래 뒤집혀 있고
아무래도 바로 설 수 없을 것 같은
너무도 깊은 것들이
편만하니

탄식마저 질식하다

끝나지 않는 끝

설사 극락왕생을 확신하고 내 사람 내 아이가 극락에 왕생했음을 확신할 수 있다 하더라도 이곳에 한시도 더 머물 수 없는 어떤 신비로운 이유가 있어 인재人災의 망락網絡을 이용한 도저히 납득할 수 없는 방식으로 갔음을 사무치게 앓는다 하더라도 아이가 자라온 뒤집혀 가라앉은 세월이 천근의 가슴이 된 운명에 순응한다 하더라도 그것을 통해 생사에 대한 어떤 이해를 얻게 된다 하더라도, 물릴 수만 있으면 도로 내주고 싶을!

물릴 수만 있으면 나의 존재마저 물려 너와 내가 아직 이 세상에 오지 않았으면 네가 가장 어려운 시절의 나를 만나 때로는 사경을 헤맸더라도 이 순간을 비켰더라면 이제 이렇게 꼭 이런 식으로 세상에 알려진 부모의 유명有名 아무 쓸모없어 네가 살고 또 살아 그저 무명無名의 삶 하나 완수할 수 있다면 네가 살아남아 인적조차 끊긴 너의 거처에서 어쩌면 나조차도 모르게 존재만 할 수 있다면 아니 너를, 너의 죽음을 확인할 수 있도록

시신으로 돌아와 무덤의 집에 편히 누워, 지금과는 전혀 다른 부재不在로 존재할 수 있다면!

혁명과 반혁명

아이가 잠긴 바다 속만큼
깊은 속을
헤아리는
헤아릴 길 없는
말없는 혁명에도
반혁명反革命이 있어

(날더러 뭘 어떡하라고!)
강 건너 대통령의 피안의 존재는
차안此岸에 이를 수 없어, 책무불이행을 이행하고 있을
뿐인데
추기경이 무슨 피안의 메시지를 전달이라도 하는 것처럼

누구든 이 사태를 이용하면 안 된다고 정색한 것은 결국,
아픔은 알겠지만 표현은 자제하라는
표현을 자제함으로써 아픔도 자제하라는
강압인바

번질 만큼 번져 태울 만큼 태울
불을,
바로 끄겠다는 것, 신심信心은 소화消火가 아니다

정의는 신의 몫이라는 말은 인간의 몫이 없다는 것이
아니다
정의를 향한 인간의 고투에 오류가 있을 수 있음을 일
깨우는 말씀일 뿐
종교인이 종교를 이용하여 고투를 삭제하고 상황을 초
월하고자 하는 것은 사악하게도
사건의 전후 차이를 무화시키는 쪽으로
상황에 개입하는 것
세월호의 침몰을, 침몰시키는 것

아이가 잠긴 바다 속만큼 깊은 속을 헤아릴 일 없는 사
람들에게
청하지도 않은 면죄부를 무상으로 배포하는 꼴

노란 리본
―유비類比의 오류

최근 한 '종편'에서 방송인 출신의 한 인사가 현직시장인 모 인사의 반정부적인 대북관련 해외발언이 부적절하다고 어이없어하는 가운데 이 인사의 행태가 지금껏 달고 있는 '노란 리본'만 봐도 불순한 정치적 동기에서 나오는 것임을 알 수 있다는 식의 발언을 하면서 부모상을 당해도 상장喪章을 짧은 기간만 착용한다하다 노란 리본이 '세월호'를 이용하는 자의 표식이 되다 일체 다른 얘기 하지 말고 그저 아픔만 간직하는 것이 순수하다는 암묵적 전제가 깔리다 다른 이야길 낳고 또 낳는 정신적 자산의 가치가 사장되는 불합리와 함께 **어떤 이야기도 다른 이야기가 아니니까 다른 이야기가 나오고 다른 이야기가 아니니까 다른 이야기 한다고 지적하는 것**이라는 생각이 들다 정말 다른 이야기를 하고 살면 좋겠다는 생각과 함께 희망의 상장喪章이 또 한 번, 과거와 현재에 이은 지난한 여정의 미래사가 되고 끝나지 않은(는) 끝의 표징이 되다 부모상은 삼일장에서 오일장 거쳐 사십구재 지나 의례가 종료되고 또 그래야하다 '노란 리본'이 모든 동기를 품어 자기를 다는 동기를 따지지 않다 (묻기는 하되) 따지지 않다

말고는

큰 파도가
잘게 쪼개지지 않고
하나의 전체로 몸부림치며
개개인의 공동空洞에 밀려드는 것

말고는

그런 너
말고는

말
고
는

비심非心 38

내가 누구 말마따나
시 쓰기가 끝나면 제자리로 돌아가는
인디언이고 싶은 백인시인들처럼
저들을 다 아는 듯 몇 줄 쓰고는
사실상 전혀 아닌 상태로 돌아가는 것이라면
그 혐의가 완전히는 씻을 수 없는 것이라면
모든 시의 선적禪的 요소가 죽은 것이고
시가 죽은 것이고 입을 다문들
묵언도 죽은 것이고 어쩌면
죽은 것이라는 것도
죽은 것이고

유월

봄이 가고
여름이 오듯

네가 가고
네가 온다면

무얼 바라
봄만 찾을까

네가 가고
영영 없기가

봄이 가고
여름이 없듯

봄이 가고
여름이 없듯

내가 죽는다 해도
－사실관계 확인

돈으로
안 되는 게 없다는 게
사실이고
돈으로
안 되는 게 있다는 게
살해된
믿음이면
이제
모든 은폐의 언설을 유폐하고
하나의 물음만 남겨라

돈이냐 생명이냐

돈을 택하면서
절대
딴소리하지 말고
그냥 돈이라 하라
이렇게－
돈이냐 생명이냐:
"돈"

그리고 이렇게 첨언하라:

"결단코
내가 죽는다 해도"

축제

아이들이 나이를 조금 더 먹어도
꼭 저걸 하고 싶어 하는데
아이들이 꼭 저 정도인 것도 같아 안쓰럽고 귀여운데
마치 저것 정도 못하고 마는 게
참살된 아이들이 잃은 미래인 것처럼,
'사람을 뭐로 보느냐'고 너무 빨리 반발할 '뭐로'들의
그리 깊을 것도 없는 내심이
빈말을 뚫고 악취를 풍긴 지 오래인데
저 정도라도 해야 하는 아이들의 축제는
저 나름의 꼭짓점을 만들고 있다

영혼

깊이가 건드려진 영혼만이
따뜻할 수 있다

우리가 '양심'이라고 부르는 것은
상처를 겁내는
너무도 나약한 것이기에
쉽게 추위를 타고

세상은 강해진다고
그것마저 외면하는 길을 택한다

개인들은 갈등을 없애는
체계에 편입되고
일찌감치 체계의 노예가 된 자들을 따라
우리는
우리가 '영혼'이라고 부르는 것을
그렇게 부르는 것으로만
막연히 알게 된다

이럴 때는 차라리
'영혼'이 도대체 있기는 한 것이냐고

세상에 항변하는 불량한 아이처럼
누구의 눈치도 보지 말고
내질러야 할 것이다

있기나 한 것이냐고!

말이야 어떻든 그에 준하는 게
어디 있기는 있는 것이냐고

그렇게 남을 향한 듯 뱉은 소리가
자신을 향할 때
소리의 측심測深39이 어쩌면
건드리게도 되는 것이 그 이름이 무엇이든
네가 찾는 것이리라

혹은
아무것도 건드려지지 않는40
황망함과 텅 빈
공동空洞의 느낌, 그것이리라

벚꽃세상

다시, 사월四月
성화聖花, 피었다
피안으로 떠나지 못한 숨 못 쉬는 아이들의 혼백과 부
모의 생령生靈은
그 자체로 성역이다
무슨 성역이라도 되는 것처럼 운운云云
성역이다
숨 막히는 사라짐, 숨 막히게 나타난
이 '끔찍한 아름다움'으로 개종改宗하여
성역에 발 디디면
국외자의 어떤 양심이나 부채의식이나 피로감 따윈 일
거에 스러지고
옅디옅은 붉은빛 새하얗게 질식할 즈음
개종의 의례 완료되고 개심 하나만 남아
바뀌고 열린 그 마음속에 아이도 어미도 거居하며
우리자신이 성스러워지리니

제7부

문제의 일상

문제의 일상[41] 1

(집안에서부터 뒷걸음질 치는 일 없이 늘 진일보해서 볼일을 보는 것이므로 굳이 밖으로 나가 여행을 하며 견문을 넓히며 천지 사방팔방을 다니지 않아도 행보의 진일보는 보장되어 있다. 진일보의 본질에는 차이가 없다. 진일보의 행보가 그 모양에 따라 다르다는 데 함몰하면, 작은 차이들이 날뛴다. 차이들을 지나치는 태풍이 쓸어가도록 하라. 그 때 비로소 어떤 양태든 하나의 구체적인 특정양태가 가장 우선적인 것으로 부각될 것이다.)

이를테면 화장실로 한발 내딛는 진일보! 누가 변의便意를 거슬러 제자리걸음 하거나 옆으로 빠지거나 뒷걸음질 치는가[42] 당장當場 진일보만 있고 당장當場 자체가 진일보인 것

문제의 일상 2

8월 14일 목요일, 비가 온다 오기로 되어있었다 하지도
않은 약속을 잘 지킨, 잘 지키는 존재가 되어버린 비는
졸지에 집토끼가 된 기분 (내가 없으면 아무것도 아닐 것이
날 길들인 듯 행세하는 꼴이라니) 성난 빗발이 예고된 강수
량에 스스로를 맞추고 있다 (너희는 예보의 증인證印으로 지
상에 찍히나니!) 야외활동은 이미 연기되었고 임시의 실
내모임 진행 중 빗발이 굵다

문제의 일상 3

빗줄기 하나하나가 비의 나라의 시민이다 직하直下의 엄격한 풍경 촘촘하지만 부대낌이 없다 각자의 무게가 곧고, 밀접하지만 어느 하나 굴곡을 만들지 않아 엉덩이나 가슴 부빌 일이 없다 이것의 이름이 '격정'이다.

문제의 일상 4

생명은 쏟아내는 것이지 새는 것이 아니다 매미소리
빗소리 바람소리 잠시 찾아든 매미소리, 새고 있는 소
리인가? 보슬비는? 미풍은 새는 바람인가? 자기만큼의
전부를 쏟아내는 존재들은 자체로 절대적이다 사람은
왜 꼭 상대적이기만 한가 정적이 쏟아지다가 다시, 소
리가 쏟아진다

문제의 일상 5

어떤 길이든(솔직히 이런 폭력적인 말이 싫기는 해도) 길의
끝에서는, '끝'의 아가리가 제 긴 몸을 삼킨다 간명하
자는 것이지 먼 길이었을수록 더욱 그렇다 어디가 시
작이었는지, 아무리 생각해도 이 끝 말고는 그 어디도
알 수 없다 모로 누워 나를 응시하는 너

문제의 일상 6

심신이 날로 무력하다 무기력이 나를 대신하는 것에서
다른 뭔가가 나를 대신하는 첫 경험을 일관성 있게 한
다 나는 첫 경험 중이고 그것에 국한되었다 무기력은
자기를 의식하는 나를 필요로 한다 나를 대신하는 대
가로 무기력은 자기에 대한 의식이 흐려지기를 바라지
않는다

제8부

벚꽃구경

벚꽃구경 1

다시 벚꽃이 피었으나 다시
가로수길이 빨아들일 듯 벌어졌으나 다시
멀리 갈 것 없네! 했으나 해마다
어김없는 이맘때면 어김없이 이곳에
머무는 것 말고 다른 무엇이 있겠는가!
했으나 오늘 또 길을 따라
들어갔으나 들어가고
들어갔으나

벚꽃구경 2

벚꽃을 보면서 벚꽃 아닌 것이 벚꽃으로 기억나

기억 저편에서 나온 '벚꽃'이 한동안 행패行悖를 부리다
사라진 적이 있다

아내는 그만 낯을 붉히고

벚꽃은 그만 낯을 밝히고

벚꽃구경 3

꽃잎과 꽃술 다 떨어져나간

푸른 빈자리

새끼 새의 입 벌림 같아

네 뱃속까지 보이니 내 마음 통으로 삼켜라

벚꽃구경 4
―존재론

비존재
활짝 사라진
그 사라짐 나타나

벚꽃구경 5
―꽃의 입장立場

나무는 꽃을 다시 피우지만
꽃은 그때그때 처음 핀 꽃이 있을 뿐
다시 핀 꽃은 없어
도저히 다시 필 수 없어
백년의 나무에 처음
핀 흰 꽃

벚꽃구경 6

어린 나무의 벚꽃과 늙은 나무의 벚꽃에
한 치의 차이도 없다
셀 일 없는 수량의 차이가 있을 뿐
질의 시비가 없는 양적 성숙의 이 노화老化는
얼마나 경이로운가!

벚꽃구경 7
― 농아에게

보이는 소리만 있어

소리가 없는 게 아니라
잡음이 없는 것이다

제9부

버리려다 만 것들

애독

자신이 가있는 자리에서는 꼭 그렇게 말할 수밖에 없는

자신이 와있는 자리에서는 꼭 이렇게밖에 말할 수 없는

토씨하나 바꿀 수 없는,

청자가 화자가 된 순간,

불도저不到底
―계절의 방종

이미 가을이면
가을이 될 일은 없을 것인데
가을인데도 가을이 되고 또 되는
가슴마다 이미 가을이 아니면 무엇이겠는가!
이미 깊지 않으면 깊어질 수 없는
깊어지는 것 말고는 깊은지 알 길이 없는
가슴마다 가을이 이미 깊어
깊어지고 깊어지면서

도저到底는 필요 없어

늦가을의 어떤 골격骨格

하늘을 찌를 듯 쓸쓸했을 것이다

드높이 올라 허공과는 놀지 못하고
내려가는 길 버렸을 테니

정情의 풍風

늦가을 귓전에 매미소리 포진하고
환청인들 어떠랴 이명耳鳴은
소리의 유령들과 벗하는 것,
이제 더러는 상주常住할 것도 같은
너희가 어디 있었던 것인지
궁금한 건 그 하나뿐

동반同伴

저기 앉은

저건

내가 없으면

없어도

부재不在가 아닐 터

풍경

눈 내린 저녁
살이 붙은 풍경의
피로 도는 너

대상對象

한 자리에서 보는 변화가
시간이다

한 자리에서 보는 불변이
시간이다

한 자리에서 보는 그대가
시간이다

제10부

월트 휘트먼

월트 휘트먼 1

나는 여기 있으면서 여기 없다
나는 여기 있지만 한정限定된 나로서는 여기 없다
나는 여기 있지만 나서 죽는,
무無에서 무無로 돌아가는 유有로서는 여기 없다
나는 여기 있지만 없었던 적이 없다
없어질 일도 없으므로 나는
모자와 신발 사이에 갇혀있지 않다
나는 여기 있지만 여기에만 있는 나로서는 여기 없다
나는 여기 있지만 사후死後를 몰라 알고 싶은 나로서는
여기 없다
(생전生前은 몰라도 좋으면서 왜 그리들 사후死後만 궁금한지
 사후가 궁금했던 내가 잊히고 다시 사후가 궁금한 나만 남은 건지)
나는 여기 있지만 나 자신의 시신屍身들을 지나왔고 지
나갈 자로 여기 있고
내 시신도 하나 없이 좁은 생명에 갇힌 자로서는 여기 없다
나는 여기 있지만 시간의 수인囚人으로서는 여기 없다
나는 시간과 하나가 된 자로서만 여기 있다
시간이 스스로를 구현하는 흐름으로 내가 여기 있고
나는 흐름의 한 부분인 듯 여기 있으면서
그 흐름 자체를 나 자신으로 의식하는
'인간'으로 여기 있다 그러니까 내가

여기 어떻게 있는지 아는 것 이상은
더 알 것이 없다는 의식이
여기 있는 것이다

월트 휘트먼 2

오라
내게 오라

내 영혼에게 하는 말이다

내가 나 자신을 노래하는 것은
동반同伴을 노래하는 것

내 영혼의
육체적 존재가

나의 몸 일깨워 나 자신을 일으키고

나는 그 전개와 성립을 의식하는 자

그 의식이 있을 뿐
다른 나는 없어

'나'라는 것, 따로 없어 보이나
(따로 있는 '정신' 같은 것, 내 언어 아니라)

그것이 바로 나라는
실증實證을 내게로 부르는 것,

오라
내게 오라

내 영혼이 나를 부르는 소리

월트 휘트먼 3

내 영혼에 대한 의식은
내 영혼에 동반하여 나타나는 것,

내 영혼과 따로 움직이는 의식이
내 영혼을 이야기하는 순간,

내 영혼은 이름으로만 남느니 그런
내 영혼의 이름을 걸고는 어떤

약속도 하지마라
내 영혼을 보여준다는 등의 호언豪言도

순간순간 동반하지 않아도 되는 것을 그냥
'영혼'이라고 하지 인간이면 누구나 가지고 있는 보편
적인 어떤 존재인
  죽은

영혼은 내 영혼이 아니다 '내 영혼'이 유일무이한 영혼
이고
  나는 그것이 움직일 때만 나타나는 의식이다

나를(시집을) 손에 든 '너도 그렇다'는 위험한 말은 하지
말아야지
　네 영혼은 네 몫이니까 나면 나 너면 널 떠나선
　어떤 영혼도 없다

　'영혼' 따윈 없는 것이다

1. Which snowflake triggers the avalanche? (존 바스 John Barth의 문장)
2. 월리스 스티븐스 Wallace Stevens의 시, 「눈사람」("The Snow Man")
   을 보완하는 일종의 반론.
3. 예컨대 물아(物我)의 일체(一體)는 추문을 봉합하려는 부질없는 입
   짓이다. 그것은 '자체'를 날려버리기는커녕 깊이깊이 감싸 안을 뿐
   이다.
4. "The Convergence of the Twain"
5. 영어로는, 'circumventive'
6. David Herbert Lawrence, "Self-Pity"
7. William Wordsworth, "She Dwelt among the Untrodden Ways"
8. Theodore Roethke, "The Waking"
9. "Ode on Melancholy"의 시행 (Glut thy sorrow on a morning rose.)
10. '색성본공'(色性本空)에는 이르지 않았더라도 미래의 '색멸공'(色滅
    空)을 현재의 순간에서 보는 감각이 시인으로 하여금 '세계의 슬
    픔'을 통감하게 하는 것.
11. Walt Whitman, "Out of the Cradle Endlessly Rocking"
12. Edmund Waller, "Go, Lovely Rose"
13. Robert Frost, "The Rose Family." 'family'는 생물학적 분류상의 '과'
    (科)를 뜻하기도.
14. William Butler Yeats, "He Wishes for the Cloths of Heaven"
15. William Butler Yeats, "A Drinking Song"
16. William Butler Yeats, "The Mermaid"
17. William Butler Yeats, "Crazy Jane Talks with the Bishop"
18. A. E. Housman, "Loveliest of Trees"
19. Robert Frost, "The Secret Sits"
    We dance round in a ring and suppose,
    But the Secret sits in the middle and knows.
20. Robert Frost, "Fire and Ice"
21. Robert Frost, "Nothing Gold Can Stay"
22. Walt Whitman, "A Noiseless Patient Spider"

23. 멜빌(Herman Melville)의 『필경사 바틀비』("Bartleby the Scrivener")의, 불가해하게 실존하는 인물.

24. 너는 네가 간구한대로 다 이루었도다! 네가 갖은 수고로써 펼친 장(場)은 반복이 무용하니라.

25. 연락할, 접촉할 방법이 전무하다면(특수하지만 생성 가능한 조건), 어느덧 '가구'의 실용성과 물상은 폭파한다. 이름 안의 내용이 내파(內破)하고 공동(空洞)이 생기는 것이다. ('가구'라는 기호의 '지시대상'뿐만 아니라 그 기표의 '기의'까지도 '내파'하는 것이 '공동화'의 완결일 것이다.) 『고도를 기다리며』(Waiting for Godot)의 '고도'(Godot)가 그러한 '내파'가 이미 완료된 데서 이름으로 존재하는 것처럼. ('고도'에서 '내파'는 원초적으로 삭제된 전사(前事)이며 그 '삭제'가 '고도'의 존재조건이다.) '오아시스 가구'는 상호(商號)로서, '기다림'보다는 '(찾아)감'이라는 설정을 낳는다. 따라서 '기다림'은 연상되는 순간 대체된다.

26. '시간'을 관념으로 대상화하여 자신으로부터 분리시키는* 인간의 행보가 어느덧 시간과 하나가 되어버린 사태를 의미한다. 그것은 '본래의 자리'로 돌아간다는 의미의, '귀향'(homecoming)의 사건이기도 하다. (* 마르틴 하이데거도 이미 그러한 이야기를 했듯이, '시간 속에'(in time), '시간을 벗어나'(out of time) 등의 표현에서 '시간'은 일단, 별도의 것으로 상정되어 있다. '시간'이라는 관념의 대상화에서 망각되는 것은 '시간적 존재'(a temporal being)인 인간 자체의 '시간성'(temporality)이다.)

27. 획일주의적으로

28. 행위만 있고 자기행위를 의식하고 책임질 주체는 없는 상황에서는, 다시 말해 **행위는 실재하지만 주체가 유령과도 같은 상황**에서는, 행위의 매체일 뿐인 행위자가 바뀌어도 행위자체는 바뀌지 않으며 '주체'의 간섭을 받지 않는 '행위'는 일상화되고 진부해지면서 지겹도록 강고해지고 완고해지기 마련이다. (반면 그런 행위의 객체들은 실존하는 존재들로서 좌절과 탈진의 고통을 느낀다. 그리고 그런 행위의 직접적인 영향을 받지 않는 사람들은 행위의 진부함에 묻혀 주로 지겨움을 느끼며 세상이 으레 그러려니 하는 크고 작은 냉소주의에 빠지기 쉽다.)

29. '새'라는 문자 및 인간의 인지(認知)에 대해, '불가능한 삭제'를 상

상하는, 어찔함 및 짜릿함이 있다.

30. 맨발로 가다.

31. '맨발'을 의미하는 '선족'(跣足)의 '선'(跣)은 '발이 먼저'라는 뜻.

32. 자명한 것은 (이미 드러난 것에 더해) 추가로 드러낼 수 없다.

33. 소리가 기억 자체의 재생인 듯 기억을 우선시하는 것이 곧, 소리를 옮겨 고정한 '형상'인 문자(文字)이기도.

34. George Orwell, "Shooting an Elephant"

35. 코끼리 존재 자체에 내재하던 원인. ('제국주의'를 둘러싼 웃지 못할 상황, 식민지 원주민 군중의 놀림감이 되지 않으려고, '주인'인 존재의 허세를 유지하기 위해 쏠 마음이 없는, 쏠 이유가 없음이 확인된 코끼리를 쏘게 되는 일련의 '블랙코미디'적 상황이 위의 제 1행에 표기된바 코끼리 외부에 존재하는 '외재인'(外在因)이라면, 그 원인과는 구분되는 원인.) 작가 자신이 의식적으로 의도했든 안했든 이 '내재인'을 드러내는 데 글의 탁월함이 있다.

36. 기상을 관측한다는 뜻이나 문자 그대로 코끼리를 본다는 뜻으로 사용함.

37. 매미를 뜻하는 한자 '선'(蟬)과 '선'(禪)은 동음어.

38. '非心'은 '아닌 마음'인 동시에 '아니라는 마음.'

39. 측연(sounding lead)과 측연줄(sounding line)로 물 등의 깊이를 측정하는 것(soundings).

40. 측심이 안될 만큼 깊은(off soundings) 것을 의미할 수도 있다.

41. 일상이 문제라는 뜻이 아니라, 문제가 그날그날 살아간다는 의미임.

42. 남의 변의(便意)가 제 것인 양 행동하는 자들은 예외이다.

강필중
인제대학교 영어영문학과 교수

저서: 『영문학 試論』
시집: *And I See Buildings*, 『하이쿠 이풍』 등

해묵은 이야기

초판 발행일 2016년 7월 30일

지은이 강필중
발행인 이성모
발행처 도서출판 동인
주 소 서울시 종로구 혜화로3길 5 118호
등 록 제1-1599호
TEL (02) 765-7145 / FAX (02) 765-7165
E-mail dongin60@chol.com
ISBN 978-89-5506-720-0
정 가 10,000원

※ 잘못 만들어진 책은 바꿔 드립니다.